ZHONGGUOHUA
MINGJIA ZUOPINJI
ZHANG XIANJIAO
XIEYI SHANSHUI

第  辑

# 中国画名家作品集

# 张贤蛟写意山水

主编／贾德江



北京工艺美术出版社

# 评张贤蛟的国画艺术

□ 刘 赦

張賢蛟畫集

常国武题字

从20世纪以来，中国画发生了巨大变革，一方面是由于受西方艺术形式和观念的冲击，改良和变革中国画的主张逐渐占了上风，形成了各种中西参用的艺术流派；另一方面，由于社会现实和意识形态的变化，传统国画形式在社会功能方面并不能满足变革中的社会需求，更能反映社会发展现实的绘画形态受到重视。此外，清末中国画自身陈陈相因的模式化形式，影响了国画的发展，急需注入新的形式和精神。新国画就是在这样的背景中诞生，人物画的写实和造型能力大大提升，能反映现实生活中的生命活动；山水画也将目光更多地投向真山真水，在大山大川中写生，摹写现实山水，色彩较传统淡彩和青绿，更为丰富，表现力更强。在传统山水的现代变革中，“长安画派”、“岭南画派”和“新金陵画派”算是其中的最具代表性流派。

80年代后，中国现代水墨画异军突起，其影响力一直持续到今天，这种表现力强、手法大胆、直抒胸臆的现代水墨也对中国山水画带来了新的活力。事实上，山水画在老一代艺术家那里，如李可染、陆俨少等大家都悄然发生着变革。“新金陵画派”的代表人物傅抱石、亚明、魏紫熙等人笔下，用大水墨重彩表现祖国山河的手法已日趋成熟，画家张贤蛟正是继承了这一文脉的当代山水画名家。

据张贤蛟自述，他早期师从江苏国画院华拓先生学习中国山水画，同时得到魏紫熙先生、金志远和徐茜先生的精心指导。从师承来看，将其归入“新金陵画派”一脉自然不会错，其画风亦如是，善用水墨重彩表现山川之美。张贤蛟现为国家群文副研究馆员、江苏省美术家协会会员、南京市职工书画协会副会长兼秘书长、江苏大众书画院特聘画师等，长期从事国画创作和研究，尤其对群众书画艺术的普及工作贡献很大。1949年新中国成立以来，书画艺术也发生过“上山下乡”运动，如何让传统国画适应新时代，如何用笔墨表现新气象，如何让中国画成为人民群众喜闻乐见的艺术形式，老一代艺术家作了不少探索。借传统手法表现生活场景和山川河流，在山水中加入现代人活动的足迹，色彩更加丰富、吸引人而不艳俗，这些艺术实践的经验都在张贤蛟的艺术中传承了下来。

看张贤蛟的山水作品，我们会有似曾相识的感觉，他在创作中不露声色地吸收了“新金陵画派”的许多艺术特点，把钱松喦、亚明、魏紫熙的艺术成就自然而然地融入了自己笔下，用现代新水墨重彩赋予其新的艺术生命。张贤蛟作品气势恢宏，山川开阔，而章法有度，不失严谨，浓墨重彩中不失古雅之意，对于当代那些小家碧玉的画风和随意涂抹的作品实在是一种警示。

（作者系江苏省美术家协会副主席，南京师范大学美术学院院长、教授、博士生导师，江苏省政协委员，中国美术家协会美术教育委员会副主任，江苏省人民政府教育督导团专家组成员，江苏省中国画学会副会长，教育部高等学校教学指导委员会美术学类专业教学指导委员会委员，国务院学位委员会学科评议组成员，同时被国务院学位办、教育部聘为全国艺术硕士专业学位教育指导委员会委员）

珠落半空帘／2015年／纸本／69cm × 68cm

高原秋色／2013年／纸本／69cm × 138cm

# 云起千峰动　泉飞万壑鸣——观张贤蛟先生国画作品有感

□刘　辉

我与张贤蛟先生相识，纯属偶然，可谓未识其人，先识其画。是在一次不经意间看到了张先生的山水画，就莫名地被他那大气磅礴、气韵生动的金陵画风所吸引，后来才结识了画家本人，可谓虽未谋面，但神交已久。其中缘故不得不提，因为我虽现居北京，但从小在南方长大，那里秀美奇峻的山和水给我打下了深深的烙印，看到张先生的山水画有一种莫名的亲切感，并为之所动，大概这就叫共鸣吧！

我惊讶于他绘画作品的精彩和深厚的功力，后来才得知他师出名门，早年拜在江苏画院山水画大家华拓先生门下研习中国山水画，同时又得到画院国画大师魏紫熙、金志远和徐茜等诸位先生的精心指导。正是这种师承关系，使他走上了一条正确的绘画道路，加之个人刻苦努力孜孜不倦的练习和天赋，得以取得今天的成就。

一个画家的出名有偶然性，但成功一定存在他的必然性，那就是学习绘画的路子一定要正，即师古人，重造化。中国山水画有着悠久的历史，在不同时期均出现了令后人敬仰的大画家和经典传世之作。后人习画多以临摹入手，这无可厚非，但通过长期扎实的临摹，在后期是否能脱离经典，面对现实做出一条属于自己的道路，画出自己的风格作品，这是最终目的，因为艺术是需要个性的。而真正的画家都要服务于当代社会，只有其作品被广大观者所认知和接受，这才是其走向成功的第一步。纯粹照搬传统的笔墨关系和构图方式来画，就显得机械呆板，太程式化，与现实要表现的内容严重脱节，无法与时俱进和满足当今社会的需求。魏紫熙先生是我国现代著名的山水画大师，“新金陵画派”的主要代表人物之一，其画风雄浑豪放，秀美壮丽。华拓先生师承魏紫熙先生，主攻山水，其画风雄酣豪迈、恢宏恣肆，特别是泼墨重彩山水画直追张大千先生，极具冲击力和表现力。两位先生都是新金陵画派的代表人物，这个新字新在哪儿？就是以写实和写生为基础，重新面对大自然、师法造化，借用西方绘画的表现方法，以水墨表现作为开掘的重心，着力解决中国山水画长期存在的积弊，使传统中国山水画在新时代再创新境。

张贤蛟先生所绘的山水画，正是沿着“新金陵画派”所倡导的，将传统山水的古典技法和意趣继承下来，再融入时代气息之路走下来的。他遵循魏紫熙先生“一手伸向生活，一手伸向传统”的教导，沿着华拓先生“沉下来，耐得住寂寞”的治学理念，向传统要功力，向生活求气息。他在大量临摹古人佳作的同时，踏遍祖国的山山水水，特别是江南的名山大川，绘制了大量写生稿，这一切为他今后的创作提供了无限的营养和素材。纵观其绘画作品可以看出，他既有深厚的传统技法的支撑，又可见魏先生绘画的构图特点，还有华先生的绘画气韵，并加入自己的感悟，走出了一条属于自己的绘画风格和绘画语言。

观张贤蛟先生的绘画作品多为水墨淡彩，尤以绘大幅山水见长。在绘画风格上，追求一种文人情怀和高雅之气，远取其势，近取其质，注重气韵的流动和空白的经营，咫尺之间有千里之势。在技法上，他在自创滚笔皴法的基础上加以中锋勾、点和淡墨破染，达到了情到笔到、笔到意到的绘画境界。其三年西画的学习经历和积淀，对他在绘画过程中的构图、空间感、光影感、透视感和南方特有的云雾缭绕氛围渲染上起到了很大的帮助。观整幅作品可谓

秋色 / 2008年 / 纸本 / 69cm × 68cm

大开大合，气韵生动，秀美中不失雄浑，绵延中不失磅礴，大处有“江上如此多娇”之势，小处有“双桥”之遗韵，欣赏之时让人产生可游可居之欲，这也是他逐渐形成有别于他人的独特绘画风格所在。在总体绘画风格上注重画风清秀淡雅，在色彩运用上注重时代感，在构图安排上注重虚实的关系和以白当黑的造型理念，使画面在奇妙雄浑中不失空灵。特别是在烟雨暮霭和云气的创作中更显奇妙，微蒙中不失空间感和立体感，观之仿佛身临其境，具有强烈的感染力，可谓心境合一，气韵天成。

毋庸置疑，张贤蛟先生沿着这条正确的艺术道路走下去，孜孜以求，不断进取，不断洗练自己的笔墨，以书入画，更加融入时代，融入自然。他满怀深情地去画身边所热爱和熟悉的山山水水，充满激情地去创作，严肃认真地对待每一幅作品，用心去画，更加注重将人文关怀融入青山绿水，融入一种高逸之气。我坚信，有待时日，他一定能成为新一代金陵画派的新坐标和领军人物。

（作者系中国海关出版社学术顾问，文津历史文献联合会副会长，西南大学、四川音乐学院客座教授，艺术评论家）

游溪观瀑图
2014年／纸本／ 138cm × 69cm

半坡烟雨满涧水
2014 年 / 纸本 / 138cm × 69cm

港湾帆影

2014年／纸本／138cm × 69cm

云气锁半山
2008 年 / 纸本 / 69cm × 68cm

禅溢山涧　佛存心中
2008 年 / 纸本 / 69cm × 69cm

江崖飞彩虹
2014年 / 纸本 / 138cm × 69cm

头顶云中仙
2014年／纸本／136cm × 69cm

雁鸣空山回
2014年／纸本／138cm × 69cm

峰顶一佛阁 / 2013年 / 纸本 / 63cm × 153cm

# 山高水长意难尽

## ——山水画家张贤蛟的艺术人生拾萃

□ 赵　明

有一类艺术家被称为德艺双馨，他们不仅多才多艺，而且富有社会贤德，往往作为胜于艺名。南京市职工书画协会副会长兼秘书长、南京市美术家协会会员张贤蛟就是这样一位个人与社会追求相得益彰的艺术家。他的山水画、摄影、艺术论文、报告文学和社会艺术活动亮点频现，不断丰富着他的艺术人生默默升华。

张贤蛟的山水画以水墨淡彩见长，笔法以自创的滚笔法加中锋勾勒、点厾和淡墨破染为主，在继承中国传统绘画技法的同时，以金陵画派的江南山水画风为基础，师造化、入生活，博采众名家大师之长，逐步形成了清秀淡雅之画风，具有构思简洁严谨，平淡中有拙趣，烟云中显奇妙，方寸中大气磅礴的个性风格。

2000年后，张贤蛟先后参加了南京市美协与韩国大田文化交流书画联展，南京市美协举办的2009迎春书画展、2011年庆祝建党90周年书画展，中国书画研究院举办的2011年“爱的传承，翰墨铸情”全国知名画家爱心书画作品义展等展事活动。尤其是2011年庆“五一”知名书画家作品江苏巡回联展及江苏省美术馆举办的书画、摄影、盆景和收藏艺术品联展后，他的画作广受赞誉，报纸、电视、杂志等10多家新闻媒体争相报道，美国、德国、日本、新加坡、中国香港等地的收藏家也纷纷关注和收藏他的佳作。多幅书画和摄影作品先后入编《中国书画家大典》和2010年版《中国经济贸易投资旅游大博览》。

张贤蛟的艺术人生丰富多彩，他在南京市

总工会工人文化宫履职多年，开创性地主持全市职工摄影协会、职工书画协会工作，积极参与全市职工文体活动策划与实施工作。从书画到摄影，从广场电影到歌舞演出等，凡是涉及职工文化艺术领域中的活动与交流发展都留下了他的丹心足迹。南京"金陵墨韵"美术书法作品展、"金陵之春"摄影艺术展和"周周乐"电影广场已成为张贤蛟常年主持的品牌工作，享誉全国职工文化园地。《中国报道》《中国旅游商报》《读者》《中国书画报》《人民摄影报》《江苏工人报》《大众证券报》与中央电视台、江苏电视台以及《人民网》《朝闻天下》等多家国家级网站、媒体几度报道，意犹未尽。

一个职工文化艺术工作者，一位丹青笔墨风华正茂的山水画家，张贤蛟还笔耕不断，每年平均有近30篇新闻稿件在省、市新闻媒体刊播，艺术专业论文、报告文学、摄影教材等文集也频频在国家和省级核心期刊上发表，深受好评。他认为，搞艺术的要通达人生、服务社会，学养丰富、艺术造诣的高低其实就是感悟人与自然、传统与现实、个人与社会辨证美的高低，而画家就是要在画中与画外寻觅一种能对接的意境和神韵大美。

中国画，中国水墨山水画，山高水长，美不胜收。张贤蛟的山水画之美除了清秀淡雅、拙中见奇，更在于他画中渗透的意境和神韵，画外折射的思想高度，为社会与大众做点实事，以及艺术人生的多彩锤炼，这种艺术魅力的审美情趣宛如山高水长意难尽。

（作者系《东方卫报》"东方艺苑"特刊主编）

云雾山乡

2014年 / 纸本 / 138cm × 69cm

烟雨江南 / 2013 年 / 纸本 / 69cm × 138cm

远揽故乡云　近吻母亲河 / 2014 年 / 纸本 / 69cm × 138cm

秋色烂漫
2013年／纸本／ 69cm × 68cm

雨后山明云清
2015年／纸本／ 69cm × 69cm

落壁银花香自在 / 2014 年 / 纸本 / 97cm × 60cm

云生泉落处　雁鸣松林上
2014 年 / 纸本 / 138cm × 69cm

拾级上天台

2014年／纸本／ 138cm × 69cm

山江古镇 / 2014 年 / 纸本 / 69cm × 138cm

江山

湘山乡村春来早 / 2013年 / 纸本 / 69cm × 138cm

峡江春意图 / 2014年 / 纸本 / 69cm × 138cm

游人涧桥行
2013年/纸本
138cm × 69cm

林中砚池
2009 年 / 纸本 / 69cm × 68cm

雁鸣寒山寺
2013 年 / 纸本 / 69cm × 68cm

一夜阵雨半坡云
2014 年 / 纸本 / 138cm × 69cm

秋寒枫叶红满谷

2013年／纸本／ 138cm × 69cm

母亲河 / 2008 年 / 纸本 / 69cm × 68cm

江帆雾锁
2014 年 / 纸本
138cm × 69cm

热风春雨洒溪涧 / 2013 年 / 纸本 / 69cm × 138cm

沐浴涌动云　遥观崖上泉 / 2014 年 / 纸本 / 69cm × 138cm

大野入苍穹 / 2014 年 / 纸本 / 69cm × 138cm

壁挂银河 / 2013 年 / 纸本 / 69cm × 138cm

帆影渔歌美三乡 / 2014 年 / 纸本 / 69cm × 138cm

恍若瑶台品大千 / 2015 年 / 纸本 / 97cm × 180cm

秋山层层红杉在
2006 年 / 纸本 / 69cm × 68cm

锦绣河山
2011 年 / 纸本 / 69cm × 68cm

江湾春早

2012 年 / 纸本 / 138cm × 69cm

两岸座座山 / 2013 年 / 纸本 / 49cm × 180cm

轻舟游过万重山 / 2014 年 / 纸本 / 42cm × 153cm

云泉珠泄／ 2014年／纸本／ 27cm × 57cm

松劲高致／ 2014年／纸本／ 27cm × 57cm

江湾帆影／ 2014年／纸本／ 27cm × 57cm